OLD CARMARTHEN
YR HEN GAERFYRDDIN

Alan H. Davies

Welsh translation by Geraint Jones
Cyfieithiad Cymraeg gan Geraint Jones

First Impression—November 1984

ISBN 0 86383 171 0

Printed and Published by
J. D. Lewis & Sons Ltd
Gomer Press
Llandysul, Dyfed
Wales

INTRODUCTION

'Carmarthen stands on rising ground in the beautiful valley of the Towy, on the north side, and at a point about eight miles in a direct line from the estuary of the river at Ferryside. Its origin is lost in the distant past, but it is sufficient to know that the position it occupies was important enough to attract the attention of the Roman invaders who established a settlement here, to which they gave the name Maridunum.'

This is the first paragraph from the *Illustrated Guide to Carmarthen and District*, published about 1907 by the renowned Carmarthen printer, William Spurrell.

The first paragraph in an earlier publication, *Guide to Carmarthen and its Neighbourhood*, published in 1879, could have been written of Carmarthen today: 'Carmarthen town presents no particular attraction to strangers; it is not remarkable for any wonderful deviation from what is natural in nature, nor has art made it famous by the erection of anything singular or stupendous; yet it possesses many minor attractions which taken in aggregate invest it with interest.'

The 'minor attractions' referred to by Spurrell attracted photographers from far and wide, during the late Victorian and Edwardian periods in particular, not because Carmarthen was unique, for the same interest was shown in other towns and villages throughout the land, but because of the picture postcard craze which gripped the country between 1899 and 1918.

Thousands of picture postcards were published during this period; scenes, buildings and a wide variety of other subjects were photographed time after time by photographers who unwittingly produced a pictorial record of the area and the changes which occurred, many of which passed unnoticed.

The photographs in this book are mainly from my collection of picture postcards; they remind us of the past and record the changing face of Carmarthen.

Alan H. Davies

CYFLWYNIAD

'Saif Caerfyrddin ar godiad tir yn nyffryn prydferth y Tywi, ar yr ochr ogleddol i'r afon, rhyw wyth milltir mewn llinell syth o'r aber, yng Nglanyfferi. Aeth hanes ei sefydlu ar goll yn y gorffennol pell, ond diddorol yw nodi fod ei safle yn ddigon pwysig i dynnu sylw'r goresgynwyr Rhufeinig a sefydlodd gymuned yno, gan roddi'r enw Maridunum arni.'

Dyma baragraff cyntaf yr *Illustrated Guide to Carmarthen and District*, a gyhoeddwyd tua 1907, gan yr argraffwr enwog o Gaerfyrddin, William Spurrell.

Gallai paragraff cyntaf cyfrol gynharach, *Guide to Carmarthen and its Neighbourhood*, a gyhoeddwyd yn 1879, fod yn ddisgrifiad o Gaerfyrddin heddiw: 'Nid yw tref Caerfyrddin yn cynnig unrhyw atyniad arbennig i ddieithriaid; nid yw'n hynod am unrhyw wahaniaeth nodedig i'r hyn sy'n naturiol mewn natur, ac nis enwogwyd gan yr un adeilad unigryw na rhyfeddol; ac eto, perthyn iddi lawer o fân atyniadau, a'u cymryd yn eu crynswth, sy'n rhoi diddordeb mawr iddi.'

Denodd y 'mân atyniadau' yma y cyfeiriwyd atynt gan Spurrell ffotograffwyr o bell ac agos, yn ystod blynyddoedd olaf teyrnasiad Victoria a chyfnod Edward yn arbennig. Digwyddodd hyn, nid am fod Caerfyrddin yn unigryw, oherwydd dangoswyd yr un diddordeb mewn trefi a phentrefi eraill trwy'r wlad i gyd, ond o ganlyniad i ddiddordeb ysol pobl mewn lluniau cardiau post rhwng y blynyddoedd 1899 ac 1918.

Cyhoeddwyd miloedd o'r cardiau yma yn ystod y cyfnod hwn. Tynnwyd ffotograffau o olygfeydd, adeiladau ac amrywiaeth eang o bynciau eraill gan ffotograffwyr a oedd, heb yn wybod iddynt hwy eu hunain, yn cynhyrchu cofnod darluniadol o'r ardal ac yn dangos newidiadau ynddi, llawer ohonynt yn newidiadau nad oedd pobl wedi sylwi arnynt ar y pryd.

Daw'r mwyafrif o'r ffotograffau sydd yn y llyfr hwn o'm casgliad personol i o luniau cardiau post. Maent yn ein hatgoffa am y gorffennol ac yn dangos fel mae Caerfyrddin wedi newid gyda'r blynyddoedd.

Alan H. Davies

1.
An aerial view of Carmarthen, looking up-river, taken in 1929.
Golygfa o Gaerfyrddin o'r awyr, wrth edrych i fyny'r afon. Fe'i tynnwyd yn 1929.

2.
A view from Penlan Hill, looking down-river. Writing of Penlan Hill, William Spurrell described it as 'the highest eminence in the vicinity of the town, of which it gives almost a bird's eye view'. The photograph was taken about 1907.

Golygfa o Fryn Penlan, wrth edrych i lawr yr afon. Wrth ysgrifennu am Fryn Penlan, fe ddisgrifiodd William Spurrell ef fel 'y codiad tir uchaf yng nghyffiniau'r dref; oddi yno gellir gweld y dref i gyd'. Tynnwyd y llun tua 1907.

22053 Carmarthen. The Horse Shoe.

3.
A view of the east of the town, including the 'Tinworks', taken before 1904 from Llangunnor Hill with Penlan Hill in the background.
Golygfa o ddwyrain y dref gan gynnwys y 'Gwaith Tun'. Tynnwyd y llun o Fryn Llangynnwr gyda Bryn Penlan yn y cefndir cyn 1904.

4.
Longacre Road from Capel Evan fields before 1917.
Heol Erw Hir o gaeau Capel Ifan cyn 1917.

5.
The oldest industry in the town was fishing for salmon and sewin (sea trout) from coracles on the River Towy. Coracle men are reputed to have fished the river before the Romans arrived and they jealously protected their boundaries over the centuries. This photograph was taken before 1903.

Diwydiant hynaf y dref oedd pysgota am eog ac eogiaid y môr o goryglau ar yr afon. Honnir i'r dull yma o bysgota gael ei ymarfer cyn i'r Rhufeiniaid gyrraedd, ac y mae'r coryglwr wedi amddiffyn ei ffiniau yn wyliadwrus byth oddi ar hynny. Tynnwyd y llun cyn 1903.

6.
Regulations now restrict the numbers of coracles which may fish the river to 12, but at the turn of the 18th century the number exceeded 400. This photograph was taken before 1903.

Bellach cyfyngir nifer y coryglau ar yr afon i ddeuddeg, ond ar droad y ddeunawfed ganrif, honnid bod pedwar cant o goryglwyr yn pysgota ar yr afon. Tynnwyd y llun cyn 1903.

Carmarthen, "Coracles".

7.

The third coracle-man from the right is reported to be John Williams, killed during the celebrations which followed receipt of the news that Mafeking had been relieved (17 May 1900). He was one of a number of coracle-men attending a cannon, the barrel of which exploded when fired. Carmarthen Gaol can be seen on the skyline.

Y trydydd o'r dde yn y llun y mae'n debyg yw John Williams y coryglwr. Fe'i lladdwyd yn ystod y dathliadau a fu ar ôl derbyn y newyddion fod Mafeking wedi ei rhyddhau (17 Mai 1900). Roedd yn un o nifer o goryglwyr a oedd yn trin magnel pan ffrwydrodd y baril wrth i'r gwn gael ei danio. Gwelir Carchar Caerfyrddin ar y gorwel.

8.
The popular riverside walk known as the 'Bulwarks' before 1910. Note the number of warehouses on the bridge end of the Quay, and compare with the previous photograph.

Y rhodfa boblogaidd ar lan yr afon, a elwir y 'Bulwarks' cyn 1910. Sylwer ar nifer y 'stordai ar ochr y bont i'r cei, o'u cymharu â'r llun blaenorol.

The Coracle Men, Carmarthen

9.
Coracle fishing was, and is, very much a family affair. The photograph was taken about 1915.
Busnes teuluol oedd pysgota corwgl ac felly y mae hyd heddiw. Tynnwyd y llun tua 1915.

10.
The coracle-men had to contend with the busy river traffic. The Western Counties Agricultural Society warehouse can be seen in the background. The photograph was taken about 1918.

Roedd yn rhaid i'r dynion corwgl ddygymod â thraffig prysur ar yr afon. Gellir gweld 'stordy Cymdeithas Amaethyddol Siroedd y Gorllewin yn y cefndir. Tynnwyd y llun tua 1918.

11.
Taken before 1935, this photograph shows the problems with which anglers had to contend. The timber yard of Robinson David and Co. can be seen on the opposite bank.

Dengys y llun hwn y problemau a wynebai pysgotwyr. Gellir gweld iard goed Cwmni Robinson David ar y dorlan gyferbyn. Tynnwyd y llun cyn 1935.

12.
A reproduction of an etching, probably dating from the late 18th century. Carmarthen Castle can be seen on the skyline.
Atgynhyrchiad o ysgythriad yn perthyn i ddiwedd y ddeunawfed ganrif. Gwelir Castell Caerfyrddin ar y gorwel.

13.
The River Towy was for centuries Carmarthen's primary route to the 'outside world'. Ships carried goods to and from home and foreign ports and emigrants to the new world. This photograph was taken before 1900.

Am ganrifoedd, yr afon Tywi oedd prif lwybr Caerfyrddin i'r 'byd mawr'. Cludid nwyddau ar longau i'r dref ac eid â llwythi oddi yno i borthladdoedd tramor; ar yr afon Tywi y cychwynnodd llawer o ymfudwyr ar eu taith i'r byd newydd hefyd. Tynnwyd y llun cyn 1900.

14.

The Ponthouse Quay where ships of up to 300 tons were built. The steam ship is the *S.S. Merthyr*, which regularly carried cargoes, mainly flour, between Carmarthen and Bristol. The sailing ship berthed alongside the Robinson David timber yard is the *Ruth*, a Scandinavian timber carrier. Through the rigging of this ship can be seen the shuttering used in the construction of the W.C.A. warehouse. Built to a 'revolutionary' French design and completed in 1904, it was one of the first reinforced concrete structures in the country. It was demolished in 1979.

Cei'r Ponthouse, lle'r adeiledid llongau a oedd yn pwyso hyd at dri chan tunnell. *S.S. Merthyr* yw'r llong ager; cariai hon nwyddau megis blawd rhwng Caerfyrddin a Bryste yn gyson. Y llong hwyliau wrth ochr iard goed Robinson David yw'r *Ruth*, a gludai goed o Sgandinafia. Trwy raffau'r llong hon gellir gweld y sgriniau a ddefnyddid wrth godi 'stordy'r W.C.A., a adeiladwyd yn ôl cynllun Ffrengig 'chwyldroadol'; fe'i cwblhawyd yn 1904. Dyma un o'r adeiladau cyntaf ym Mhrydain i gael ei adeiladu o goncrit wedi ei atgyfnerthu. Fe'i dymchwelwyd yn 1979.

River Towy and Quay

CARMARTHEN

15.
The Quay was extended from the Jolly Tar Inn to the bridge in 1808 to provide extra berthing space for shipping. This photograph was taken before 1911.

Estynnwyd y Cei o dafarn y Jolly Tar i'r bont yn 1808, er mwyn sicrhau mwy o le i longau. Tynnwyd y llun hwn cyn 1911.

16.
The Carmarthen Farmers Co-operative Society warehouses are on the left of the picture. Permission to build a warehouse was granted to Mr. J. B. Arthur, a corn, seed and flour importer, in September 1892. This photograph was taken before 1920.

Ar y chwith gwelir 'stordai Cymdeithas Gydweithredol Ffermwyr Caerfyrddin. Rhoddwyd caniatâd i adeiladu'r 'stordy i Mr. J. B. Arthur, mewnforwr had, ŷd a blawd, ym Medi 1892. Tynnwyd y llun hwn cyn 1920.

17.
The Quay was the trunk road during this period. The photograph dates from 1948.
Y Cei ydoedd y briffordd yn y cyfnod hwn. Tynnwyd y llun yn 1948.

18.
The buildings on Island Wharf in the early 1960s. The house alongside the river was used as the port's Custom House.
Adeiladau'r 'Island Wharf' yn y 1960au cynnar. Defnyddid y tŷ ar lan yr afon fel Tŷ Tollau'r porthladd.

19.
Island Wharf was demolished to make way for a road improvement scheme. The 'Bailey' bridge, opened in May 1970 as a temporary measure, remained in use until the end of October 1983.

Dymchwelwyd yr 'Island Wharf' er mwyn gwella'r ffordd. Agorwyd y bont 'Bailey' ym Mai 1970 fel pont dros dro ond fe'i defnyddiwyd tan ddiwedd mis Hydref 1983.

4251.

The Bridge, Carmarthen.

20.
The origin of the river bridge is not known, but it is first mentioned in records dated 1223. It has been suggested that the first bridge was built on dry land and the river diverted under it. This photograph was taken about 1920.

Ni wyddys beth yw hanes cynnar pont yr afon, ond fe sonnir amdani gyntaf mewn cofnodion yn 1223. Cred rhai fod y bont gyntaf wedi ei chodi ar dir sych, ac i'r afon gael ei dargyfeirio i lifo oddi tani. Tynnwyd y llun hwn tua 1920.

CARMARTHEN, BRIDGE OF SEVEN ARCHES.

21.
The bridge was extended by one arch in 1775 and widened by 6 feet in 1777. The walled enclosure to the left of the bridge was J. Bland's coal yard. This photograph was taken before 1909.

Codwyd bwa ychwanegol ar y bont yn 1775, ac fe'i gwnaed yn chwe throedfedd yn lletach yn 1777. Ar y chwith i'r bont gwelir y wal a amgylchynai iard lo J. Bland. Tynnwyd y llun cyn 1909.

The Bridge, Carmarthen

3373/ JV

22.
Towy Works, an ironmongers store, was built on the site of Bland's coal yard, and opened for business in January 1911. This photograph was taken about 1916.

Gweithfeydd Tywi, siop nwyddau haearn, a godwyd ar safle iard lo Bland. Agorodd y siop am y tro cyntaf ym mis Ionawr 1911. Tynnwyd y llun tua 1916.

23.

The bridge became unsuitable and unsafe for modern traffic. It was condemned, but was twice scheduled and de-scheduled as an ancient monument. A Whitehall inquiry finally decided in favour of its replacement. This photograph, taken in 1937, shows the new bridge under construction together with the temporary wooden bridge.

Nid oedd y bont yn addas i drafnidiaeth yr oes fodern nac yn ddiogel. Fe'i condemniwyd, ond cafodd ei harbed ddwywaith, am ei bod o werth hanesyddol. Yn y diwedd, ar sail ymchwiliad a awdurdodwyd gan Whitehall, penderfynwyd cael un newydd yn ei lle. Dengys y llun, a dynnwyd yn 1937, y bont newydd yn cael ei chodi, ynghyd â'r bont bren dros dro.

Carmarthen.

Copyright.
CMN 49.

24.
The new bridge was opened on 4 April 1938, together with the 'new' Swansea Road, by the Rt. Hon. Leslie Burgin, Minister of Transport. This photograph was taken about 1949.

Agorwyd y bont newydd ar 4 Ebrill 1938, ynghyd â heol newydd Abertawe, gan y Gwir Anrhydeddus Leslie Burgin, y Gweinidog Trafnidiaeth. Tynnwyd y llun hwn tua 1949.

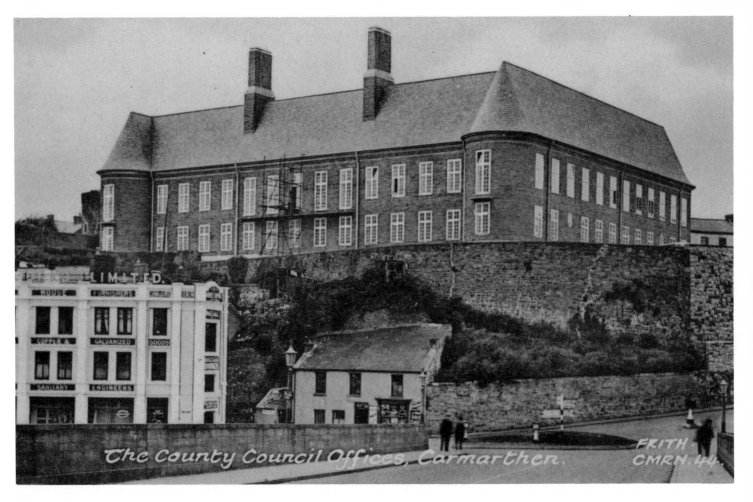

The County Council Offices, Carmarthen. FRITH CMRN. 44

25.
This photograph was probably taken in the early 1950s. The premises under the 'castle' walls, a confectionery and tobacconist shop, were demolished in 1963 for the Coracle Way road improvement scheme.

Mae'n debyg y tynnwyd y llun hwn yn y 1950au cynnar. Dymchwelwyd y siop losin a thybaco o dan furiau'r 'castell' yn 1963 i lydanu Ffordd y Cwrwg.

THE BRIDGE AND COUNTY HALL, CARMARTHEN

26.
This photograph was probably taken in the early 1970s as Coracle Way is seen here in use.
Mae'n debyg mai yn nechrau'r 1970au y tynnwyd y llun hwn gan y gwelir trafnidiaeth ar Ffordd y Cwrwg.

27.

The town centre is indisputably Guildhall Square, or Clos Mawr as it was known in the 18th century. The Guild Hall was completed by 1774. This photograph was taken before 1903 at a time when the Square was lit by three gas lamps; one can be seen in the foreground and the others at each corner of the Hall.

Does dim dwywaith mai canolfan y dref yw Sgwâr Neuadd y Dref, neu Clos Mawr fel y gelwid ef yn y ddeunawfed ganrif. Gorffennwyd adeiladu Neuadd y Dref erbyn 1774. Tynnwyd y llun cyn 1903 pan oleuid y Sgwâr gan dair lamp nwy. Gwelir un ohonynt ar flaen y llun, ac un ar bob cornel i'r Neuadd.

28.
The original lamps have been replaced by a single standard bearing three lamps in the centre of the Square. This photograph was taken about 1903.
Rhoddwyd un postyn a thair lamp arno yng nghanol y Sgwâr yn lle'r lampau gwreiddiol. Tynnwyd y llun tua 1903.

29.

29.

The Square has been the stage for many events, ranging from riots to celebrations. This photograph is of the Proclamation Ceremony, on the 29th January 1901, held on the death of Queen Victoria and the accession of King Edward VII.

Gwelwyd nifer o ddigwyddiadau cyhoeddus yn y Sgwâr, gan gynnwys terfysgoedd a dathliadau. Dyma lun o Seremoni Gyhoeddi marwolaeth y Frenhines Victoria ac esgyniad Brenin Edward VII i'r orsedd ar 29 Ionawr 1901.

30.

The Boer War Memorial was founded by the *Carmarthen Journal* and erected to the memory of the men of Carmarthenshire who fell in the South African War. It was unveiled by Major General MacKinnon on 27 April 1906.

Sefydlwyd Cofadail Rhyfel y Boeriaid gan y *Carmarthen Journal*, a chodwyd y gofgolofn er cof am ddynion Sir Gâr a syrthiodd yn y Rhyfel yn Ne Affrica. Fe'i dadorchuddiwyd gan yr Uwch-Gapten Cadfridog Mackinnon ar 27 Ebrill 1906.

30.

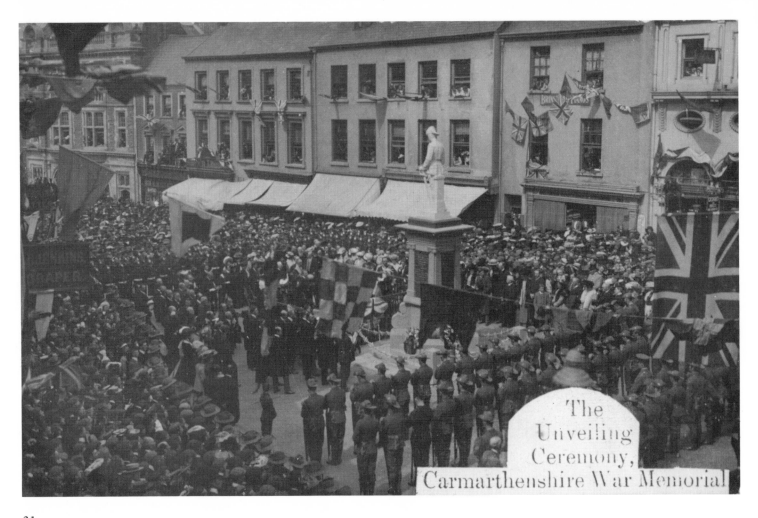

The Unveiling
Ceremony,
Carmarthenshire War Memorial

31.
Another view of the unveiling ceremony. The soldiers standing with arms reversed are from the Old 41st, the Welch Regiment.
Golygfa arall o seremoni'r dadorchuddio. Daw'r milwyr sy'n sefyll gyda'u breichiau tu cefn iddynt, o'r Hen 41ain, y Gatrawd Gymreig.

Guildhall Square, Carmarthen

32.
The impressive façade of 'The Emporium' before 1910 from which Henry Thomas & Son carried on business until 1947 when the property was purchased by Littlewoods. The façade was changed in 1954.

Tu blaen trawiadol adeilad yr 'Emporium' cyn 1910 lle bu Henry Thomas a'i Fab yn cynnal busnes tan 1947, pan brynwyd y lle gan Littlewoods. Newidiwyd y tu blaen yn 1954.

33.
This photograph, taken before 1914, shows that an electric lamp had been installed in Guildhall Square. The Carmarthen Electric Supply Co., founded in 1903, submitted its first account for street lighting to the Borough Council in 1911 for the five month period ending 31 December 1910. Note that ventilators have been fitted to the roof of the Guild Hall.

Yn y llun hwn, a dynnwyd cyn 1914, gwelir bod lamp drydan wedi ei gosod yn Sgwâr Neuadd y Dref. Yn 1911 cyflwynodd Cwmni Cyflenwi Trydan Caerfyrddin (C.E.S.C.), a sefydlwyd yn 1903, ei adroddiad cyntaf ar oleuo strydoedd i Gyngor y Bwrdeisdref am y cyfnod o bum mis yn gorffen ar 31 Rhagfyr 1910. Sylwer bod awyryddion wedi eu gosod ar do'r Neuadd.

CARMARTHEN · ST. DAVID'S DAY. 1915.

34.
St. David's Day, 1 March 1915.
Dydd Gŵyl Ddewi, 1 Mawrth 1915.

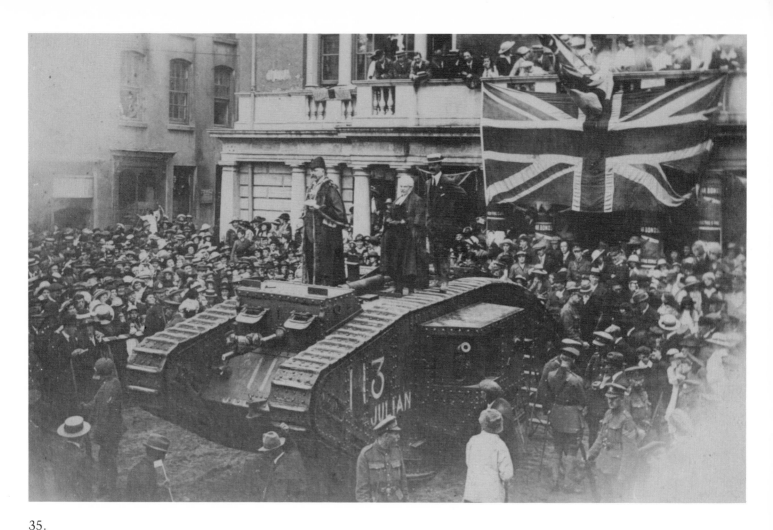

35.
This photograph was taken in 1917 or 1918. The occasion was to raise funds for the war effort. The Mayor was Mr. William Evans and the Town Clerk Mr. Brunel White.

Tynnwyd y llun hwn naill ai yn 1917 neu 1918. Trefnwyd yr achlysur i godi arian ar gyfer y rhyfel. Mr. William Evans oedd y Maer a Mr. Brunel White oedd Clerc y Dref.

36.
This photograph was probably taken in the early 1920s.
Mae'n debyg y tynnwyd y llun hwn ddechrau'r 1920au.

37.
This photograph was probably taken in the late 1930s.
Mae'n debyg y tynnwyd y llun hwn ddiwedd y 1930au.

The Guildhall, Carmarthen.

FRITH.
CMRN·121·R·

38.

Taken in the early 1960s, this photograph reveals a number of changes. The Guild Hall has been re-roofed, ventilators removed and the clock given a face-lift.

Tynnwyd y llun hwn yn y 1960au cynnar, a gwelir nifer o newidiadau. Mae Neuadd y Dref wedi cael ei hail-doi, mae'r awyrddion wedi mynd, ac adnewyddwyd wyneb y cloc.

39.
The statue has withstood the elements, but unfortunately does not remain unscathed. The spur on the right boot was accidentally broken during a cleaning operation and the sword blade 'disappeared' in the late 1970s.

Mae'r cerflun yn dal ar ei draed ond nid yw'n ddianaf, gwaetha'r modd. Torrwyd y 'sbardun ar yr esgid dde yn ddamweiniol pan oedd y cerflun yn cael ei lanhau, a 'diflannodd' llafn y cleddyf ddiwedd y 1970au.

40.

Dark Gate at its junction with Guild Hall Square, Blue Street and Red Street. The area saw extensive changes in the 1970s. The police officer is P.C. William John Rees, No. 9, who joined the Carmarthen Borough Force in 1907 and retired in 1933. The shop on the right was occupied by W. H. Smith. This photograph was taken about 1920.

Croesffordd Porth Tywyll, Sgwâr Neuadd y Dref, Heol Las a Heol Goch. Gwelwyd newidiadau mawr yn y 1970au. Y plismon yw P.C. William John Rees, Rhif 9, a ymunodd â Heddlu Bwrdeisdref Caerfyrddin yn 1907, gan ymddeol yn 1933. Perchnogion y siop ar y dde oedd W. H. Smith. Tynnwyd y llun hwn tua 1920.

41

Dark Gate, looking towards Guild Hall Square before 1915. The public house on the right was the 'Half Moon'.
Porth Tywyll, gan edrych tua Sgwâr Neuadd y Dref cyn 1915. Y tŷ tafarn ar y dde oedd yr 'Half Moon'.

42.

Lammas Street looking towards Guild Hall Square. This photograph was probably taken in 1902 during the celebrations to mark the coronation of Edward VII. A meeting of the Borough Council on 23 May 1902 resolved that 'a sum not exceeding £10 be spent to decorate the town on the celebration of the coronation of His Majesty The King'. Photograph kindly lent by Mr. Glyn Davies.

Heol Awst, gan edrych tua Sgwâr Neuadd y Dref. Mae'n debyg y tynnwyd y llun yn 1902 yn ystod dathliadau coroni Edward VII. Penderfynodd cyfarfod o Gyngor y Bwrdeisdref ar 23 Mai 1902 'wario swm heb fod yn fwy na £10 i addurno'r dref ar gyfer dathlu coroni Ei Fawrhydi'r Brenin'. Benthyciwyd y llun trwy garedigrwydd Mr. Glyn Davies.

43.
Horse Fairs were held regularly in Lammas Street and elsewhere in the town. This photograph was probably taken in 1908.

Cynhaliwyd ffeiriau ceffylau yn gyson yn Heol Awst ac mewn mannau eraill yn y dref. Tynnwyd y llun hwn tua 1908.

Lammas Street, Carmarthen

44.
This photograph, which probably dates from before 1919, was taken from the front of the Fusiliers Monument.
Tynnwyd y llun hwn o flaen Cofgolofn y Ffiwsileriaid, hwyrach cyn y flwyddyn 1919.

45.
This photograph was taken in 1948. Lammas Street, because of its width, was used as a bus station.
Tynnwyd y llun hwn yn 1948. Gan fod Heol Awst mor lydan fe'i defnyddid fel gorsaf fysiau.

46.
Lammas Street, before 1900. The Fusiliers or Crimea Monument was erected in August 1853 and dedicated to the memory of the officers and men of the 23rd Royal Welch Fusiliers who fell in the Russian War. The gun, a trophy from the Crimea, was put in position on 5 November 1859, and removed during the Second World War.

Heol Awst, cyn 1900. Codwyd Cofgolofn y Ffiwsileriaid neu'r Crimea yn Awst 1853, er cof am y swyddogion a'r dynion o'r 23ain Ffiwsileriaid Brenhinol Cymreig a fu farw yn ystod y Rhyfel Rwsiaidd. Gosodwyd y gwn, y daethpwyd yn ôl ag ef o'r Crimea, yn ei safle ar 5 Tachwedd 1859. Symudwyd y gwn yn ystod yr Ail Ryfel Byd.

47.
Lammas Street looking towards Guild Hall Square. The photograph was taken about 1920.
Heol Awst gan edrych i gyfeiriad Sgwâr Neuadd y Dref. Tynnwyd y llun tua 1920.

48.

John Bowen, Ironmongers, was the site of the original Towy Works which was established in 1795; the company continued to trade as ironmongers at this location until about 1903. The adjacent premises were occupied by the Celtic Printing Co., publishers of this picture postcard. The photograph was taken about 1920.

Dyma adeilad John Bowen, gwerthwr nwyddau haearn. Mae ar safle'r Gweithfeydd Tywi gwreiddiol a sefydlwyd yno yn 1795 ac a barhaodd mewn bodolaeth hyd tua 1903. Cwmni Argraffu Celtaidd Cyf., cyhoeddwyr y llun cerdyn post hwn, a arferai weithio yn yr adeiladau cyfagos. Tynnwyd y llun tua 1920.

CMRN.116 LAMMAS STREET, CARMARTHEN

49.
Lammas Street in the mid 1950s. The public conveniences were sited in the building behind the monument.
Heol Awst yng nghanol y pumdegau. Cyfleusterau cyhoeddus oedd yr adeilad tu ôl i'r gofgolofn.

Carmarthen from St David's Church. D. B. & S. 4197

50.
This photograph, taken from the tower of St. David's Church, dates back to before 1920. Christ Church, on the right, was consecrated by Bishop Thirwall on 21 September 1869.

Tynnwyd y llun hwn, o dŵr Eglwys Dewi Sant, cyn 1920. Cysegrwyd Eglwys Crist, ar ochr dde'r llun, gan Esgob Thirwall ar 21 Medi 1869.

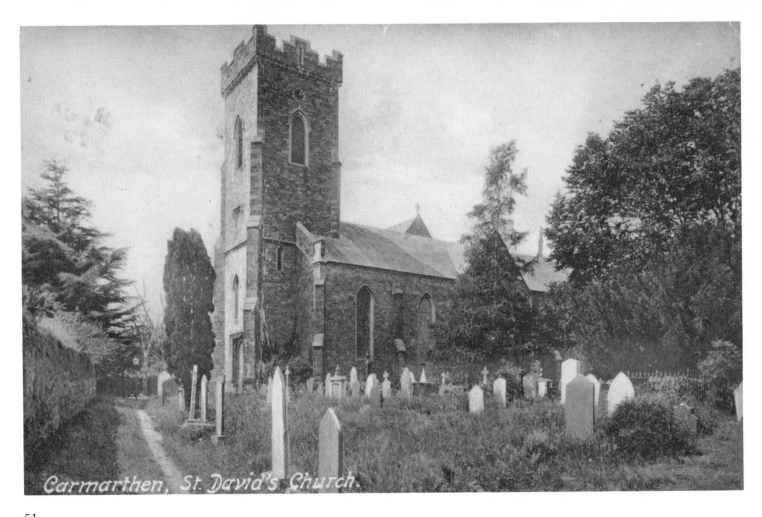

Carmarthen, St. David's Church.

51.
St. David's Church was consecrated by Bishop Thirwall on 3 February 1841. The original plan was to build this church on the site now occupied by Christ Church and it was to have been called St. Paul's. This photograph was taken about 1920.

Cysegrwyd Eglwys Dewi Sant gan Esgob Thirwall ar 3 Chwefror 1841. Y bwriad cyntaf oedd codi'r eglwys ar safle bresennol Eglwys Crist, a'r enw arfaethedig arni oedd San Paul. Tynnwyd y llun tua 1920.

Picton Terrace, Carmarthen.

52.
Picton Terrace, taken from the entrance to St. David's Church. This photograph was taken before 1929.
Teras Picton, o gyfeiriad y fynedfa i Eglwys Dewi Sant. Tynnwyd y llun hwn cyn 1929.

PICTON TERRACE, CARMARTHEN.

53.
Picton Terrace. The photograph was taken before 1909, from the front of the Picton Monument, looking towards the town centre, with the entrance to the Barracks on the right.

Teras Picton. Tynnwyd y llun cyn 1909 o'r tu blaen i Gofgolofn Picton, gan edrych i gyfeiriad y dref. Gwelir y fynedfa i'r 'Barics' ar y dde.

54.
Picton's Monument, before 1910. This was the second monument built on the site to the memory of General Sir Thomas Picton, killed at Waterloo in June 1815. The first monument was erected by John Nash, later to become a renowned architect, and dedicated on 28 July 1828. The monument stood 75 feet high but was constructed 'of inferior stone' (Spurrell) and was demolished 18 years later to be replaced by the present one, the foundation stone of which was laid in 1847.

Cofgolofn Picton cyn 1910. Dyma'r ail gofgolofn i gael ei hadeiladu ar y safle er cof am y Cadfridog Syr Thomas Picton, a laddwyd yn Waterloo ym Mehefin 1815. Codwyd y gofgolofn gyntaf gan John Nash, a ddaeth yn enwog yn nes ymlaen fel pensaer, ac fe'i cysegrwyd ar 28 Gorffennaf 1828. Roedd y gofgolofn yn 75 troedfedd o uchder ond adeiladwyd hi o 'garreg israddol' (Spurrell), ac fe'i dymchwelwyd ddeunaw mlynedd yn ddiweddarach, a chodi'r un a welir heddiw yn ei lle. Gosodwyd y garreg sylfaen yn 1847.

55.
The tank was put in position after the First World War. The area was known as Penllwyn-y-Witch and was the first recreational area in the town. This photograph was taken around 1920.

Gosodwyd y tanc yn ei safle ar ôl y Rhyfel Byd Cyntaf. Gelwid yr ardal yn Penllwyn-y-Wrach, a dyma lecyn chwarae cyntaf y dref. Tynnwyd y llun tua 1920.

Park and Cycle Track

CARMARTHEN

56.
Carmarthen Park. The twelve acre site was purchased by the Town Council in 1899 and opened on Easter Monday 1900, by Sir James Drummond, Lord Lieutenant of Carmarthenshire. This photograph was probably taken in 1900.
Parc Caerfyrddin. Prynodd Cyngor y Dref y safle deuddeg-erw yn 1899 ac agorwyd y parc ddydd Llun y Pasg, 1900, gan Syr James Drummond, Arglwydd Raglaw Sir Gaerfyrddin. Mae'n debyg mai yn 1900 y tynnwyd y llun.

57.
Amongst the many events held in the Park over the years were exhibition shows by Schreyer, the 'Great American Aerial Cyclist and High Diver'. This photograph, taken on Whit Monday 1905, shows Schreyer, separated from his cycle, diving towards his safety net. He obviously survived the dive as he made a second appearance at the Park on August Bank Holiday the same year!

Cynhaliwyd llawer o wahanol ddigwyddiadau yn y Parc ar hyd y blynyddoedd ac un ohonynt oedd sioe-arddangos gan Schreyer 'Y Beiciwr Awyr a Deifiwr Uchel o'r Unol Daleithiau'. Yn y llun, a dynnwyd ar y Llungwyn, 1905, gwelir Schreyer, ar ôl iddo ollwng ei feic, yn deifio i'r rhwyd ddiogelwch. Mae'n amlwg iddo lanio'n ddiogel oherwydd gwnaeth ail ymddangosiad ar Ŵyl y Banc ym mis Awst yr un flwyddyn!

58.
Gas Lane, now known as Morfa Lane, with Christ Church in the background, 1903.

Gas Lane, a elwir yn Lôn Morfa yn awr, gydag Eglwys Crist yn y cefndir, 1903.

59.
Nott's Monument in Nott Square was erected in 1851 to the memory of General Sir William Nott who died in 1845. The statue is cast in bronze from a cannon captured at Maharajpur, India, and donated by the East India Company. The photograph was taken about 1902.

Codwyd Cofgolofn Nott yn Sgwâr Nott yn 1851 er cof am y Cadfridog Syr William Nott a fu farw yn 1845. Gwnaed y gofgolofn o efydd a doddwyd o fagnel a gipiwyd yn Maharajpur yn yr India; derbyniwyd y magnel yn rhodd gan Gwmni'r East India. Tynnwyd y llun tua 1902.

60.
Nott Square was formerly called High Street and Upper Market Street, fish and butter being the main items sold there. The building to the right of Harvey's Wine & Spirit Vaults was occupied by John Francis & Son. This photograph was taken before 1910.

'Slawer dydd gelwid Maes Nott yn 'High Street' ac 'Upper Market Street'. Ymenyn a physgod oedd y prif nwyddau a werthid yno. Yn yr adeilad i'r dde o Seleri Gwin a Gwirod Harvey roedd busnes John Francis a'i Fab. Tynnwyd y llun cyn 1910.

61.
The building formerly occupied by John Francis received a face-lift in the mid 1920s and the development of the motor car brought the Central Garage to the Square.

Cafodd yr adeilad lle bu swyddfeydd John Francis ei weddnewid yng nghanol y 1920au ac yn sgîl datblygu ceir modur agorwyd garej y 'Central' yn y Maes.

CMRN.132. NOTT SQUARE. CARMARTHEN.

62.
This photograph was taken in the early 1960s.
Tynnwyd y llun hwn yn y 1960au cynnar.

King Street

63.

King Street has retained its name since 1233 and has been an important commercial centre for centuries. This photograph, taken about 1909 from the Nott Square end, shows that few structural alterations have taken place since then. The National Provincial Bank is on the left.

Mae Stryd y Brenin wedi cadw ei henw er 1233, a bu'n ganolfan fasnachol bwysig ers canrifoedd. Tynnwyd y llun tua 1909, o ben Sgwâr Nott i'r stryd, a gwelir nad yw'r adeiladau wedi newid rhyw lawer ers hynny. Gwelir banc y National Provincial ar y chwith.

64.
King Street, from outside St. Peter's Church about 1909.
Stryd y Brenin o'r tu allan i Eglwys San Pedr tua 1909.

65.

King Street taken from outside the Assembly Rooms which were replaced by the Lyric Buildings in 1936. The original Post Office building, opened in 1865, was replaced by the adjacent 'new' building in May 1907, the original being demolished and re-opened as an extension in 1954. The wheel suspended on the left advertised the location of the 'Leader Cycle and Motor Works'. The photograph was taken before 1910.

Stryd y Brenin. Tynnwyd y llun o'r tu allan i'r Ystafelloedd Ymgynnull a chwalwyd i wneud lle i Adeiladau'r Lyric yn 1936. Ym mis Mai 1907 agorwyd Swyddfa Bost newydd ar bwys yr hen adeilad a fu yno ers 1865. Yna chwalwyd yr hen swyddfa a chodwyd estyniad newydd, a agorwyd ym 1954, ar yr un safle. Hysbysebai'r olwyn sy'n hongian ar y chwith safle 'Gweithfeydd Modur a Beic Leader'. Tynnwyd y llun hwn cyn 1910.

66.
King Street about 1910.
Stryd y Brenin tua 1910.

67.

King Street, taken from its junction with Little Water Street, in the 1920s. Mr. Carpenter carried on his business as a newsagent and Mr. D. King Morgan as chemist. These two shops indicate the line of the old town walls; it would have placed both outside the town.

Tynnwyd y llun hwn o gyffordd Stryd y Brenin a Heol Dŵr Fach yn y 1920au. Roedd Mr. Carpenter yn gwerthu papurau newydd a Mr. D. King Morgan yntau'n cadw siop fferyllydd. Dynoda'r ddwy siop hyn leoliad hen fur y dref; byddai'r ddwy ohonynt y tu allan i'r mur hwnnw.

68.
St. Peter's Church, its origins 'lost in the past' (Spurrell), stood outside the town walls and probably existed before the arrival of the Normans, though not in its present form. The tower, nave and chancel were added in the 13th century. Note the position of the clock installed in 1858. The photograph was taken before 1904.

Safai Eglwys San Pedr, â'i gwreiddiau 'ar goll yn y gorffennol' (Spurrell), y tu allan i furiau'r dref, ac mae'n debyg ei bod yno cyn i'r Normaniaid gyrraedd, er nad yn ei chyflwr presennol. Ychwanegwyd y tŵr, y gangell, a chorff yr eglwys yn y drydedd ganrif ar ddeg. Sylwer ar safle'r cloc, a osodwyd yn ei le yn 1858. Tynnwyd y llun cyn 1904.

69.

On 9 February 1904 the Borough Council resolved that 'the clock be removed from St. Peter's Church tower, to be placed (free of expense to the Corporation) in St. David's Church tower, the Corporation paying for its winding and cleaning'. Note the position of the new clock installed in 1905. This photograph was taken about 1920.

Ar 9 Chwefror 1904, penderfynodd y Cyngor Bwrdeisdref y 'dylai'r cloc gael ei symud o dŵr Eglwys San Pedr, a'i osod (heb unrhyw gost i'r Gorfforaeth) yn nhŵr Eglwys Dewi Sant, ac y byddai'r Gorfforaeth yn talu am ei weindio a'i lanhau'. Sylwer eto ar safle'r cloc newydd a osodwyd yn ei le yn 1905. Tynnwyd y llun tua 1920.

70.
Priory Street from the east gate of St. Peter's, before 1909.
Stryd y Priordy o gât ddwyreiniol Eglwys San Pedr cyn 1909.

71.
Priory Street probably taken in the late 1950s.
Mae'n debyg y tynnwyd y llun hwn o Stryd y Priordy ar ddiwedd y pumdegau.

72.
The first Queen Elizabeth Grammar School, founded in 1576, originally stood on this site, 'the ground of which was unwisely alienated to provide a site for the Infirmary' (Spurrell). The Carmarthen County and Borough Infirmary in Priory Street was founded by the efforts of Mr. Thomas Charles Morris during his term as Mayor (1836-37). The first patients were received on 1 July 1858. This photograph was taken before 1910.

Safai Ysgol Ramadeg gyntaf Brenhines Elizabeth, a sefydlwyd yn 1576, ar y safle hwn, 'a gweithred ffôl oedd trosglwyddo'r tir er mwyn darparu safle ar gyfer y clafdy' (Spurrell). Sefydlwyd Clafdy Sir a Bwrdeisdref Caerfyrddin yn Stryd y Priordy, o ganlyniad i ymdrechion Mr. Thomas Charles Morris yn ystod ei dymor fel Maer (1836-37). Derbyniwyd y cleifion cyntaf ar 1 Gorffennaf 1858. Tynnwyd y llun hwn cyn 1910.

73.

The Old Oak, Priory Street. Local folklore and tradition attribute to Merlin the Magician the prophesy that 'When Merlins tree shall tumble down, Then shall fall Carmarthen town'. However, the tree is said to have sprung from an acorn planted on 19 May 1659 to mark the accession of Charles II, by a master at the Grammar School called Adams, reputed to be an ancestor of John Adams, second President of the U.S.A. The foliage is that of the adjacent young tree. This photograph was taken before 1915.

Yr Hen Dderwen, Stryd y Priordy. Yn ôl chwedloniaeth a thraddodiad lleol, mae proffwydoliaeth ynglŷn â'r hen goeden a dadogir i Fyrddin Ddewin sef: 'Pan syrth i'r ddaear goeden Myrddin, Cwympa hefyd dref Caerfyrddin'. Dywedir bod y goeden wedi tyfu o fesen a blannwyd ar 19 Mai 1659 i ddathlu esgyniad Siarl II i'r orsedd, gan ŵr o'r enw Adams, un o athrawon yr Ysgol Ramadeg, a oedd, meddir yn gyndad i John Adams, ail Arlywydd yr Unol Daleithiau. Dail coeden ifanc gyfagos a welir yma. Tynnwyd y llun cyn 1915.

74.

CMRN.130F. Merlin's Oak. Carmarthen.

The old tree is said to have been poisoned at the beginning of the 19th century by a local tradesman who was annoyed by the disturbance caused by people congregating at this popular spot.

On 10 December 1901, the Borough Council resolved that 'an iron guard be placed around the young tree by the Old Oak in Priory Street and such means as are possible be taken to preserve the Old Oak'. The withered remains of the Old Oak, protected by concrete and railings, outlasted the young tree. The remains of the Old Oak were removed to the foyer of St. Peter's Civic Hall in 1978. This photograph was probably taken in the early 1960s.

Dywedir bod y goeden wedi ei gwenwyno ddechrau'r bedwaredd ganrif ar bymtheg gan fasnachwr lleol, a gythruddwyd gan y cyffro a achoswyd wrth i bobl ymgynnull yn y man poblogaidd hwn.

Ar 10 Rhagfyr 1910, penderfynodd y Cyngor Bwrdeisdref fod 'rheiliau haearn i'w gosod o gwmpas y goeden ifanc ger yr Hen Dderwen yn Stryd y Priordy, ac y dylid gweithredu pob mesur posibl er diogelu a chadw'r Hen Dderwen'. Parodd gweddillion crin yr Hen Dderwen, a ddiogelwyd gan y concrit a'r rheiliau, yn hwy na'r goeden ifanc. Symudwyd gweddillion yr Hen Dderwen i gyntedd Neuadd Ddinesig San Pedr yn 1978. Mae'n debyg y tynnwyd y llun hwn rywbryd yn y 1960au cynnar.

Spilman Street, Carmarthen.

75.
Spilman Street before 1908. The entrance to the Ivy Bush Hotel is on the left with Carmarthen Gaol in the distance.
Heol Spilman cyn 1908. Mae mynedfa Gwesty'r Llwyn Iorwg ar y chwith, a gwelir Carchar Caerfyrddin yn y pellter.

76.

The entrance to Carmarthen Gaol. Built on the site of Carmarthen Castle by John Nash the renowned architect, between 1789 and 1792, it was demolished in 1938 to make way for the new County Hall, which was completed in 1948. The Gaol was probably the most successful of Nash's works in Carmarthen.

Mynedfa Carchar Caerfyrddin. Adeiladwyd y carchar ar safle Castell Caerfyrddin gan John Nash y pensaer enwog rhwng 1789 a 1792. Fe'i dymchwelwyd yn 1938, ar gyfer codi'r Neuadd y Sir newydd a gwblhawyd yn 1948. Dyma'r adeilad a roes i Nash ei lwyddiant mwyaf yng Nghaerfyrddin.

FRANCIS TERRACE CARMARTHEN.

77.
Francis Terrace about 1905.
Teras Ffrancis tua 1905.

78.
The Presbyterian College, The Parade. Established at the beginning of the 18th century, it was the oldest place of higher education in Wales for the clergy and laity, both Nonconformist and Anglican, and the first college in Wales which could offer training for an university degree. The photograph was taken before 1905.

Dyma'r Coleg Presbyteraidd ar y Parêd. Sefydlwyd y coleg ddechrau'r ddeunawfed ganrif a dyma'r ganolfan addysg uwch hynaf yng Nghymru ar gyfer clerigwyr a lleygwyr, boed Anghydffurfwyr neu Anglicaniaid, a'r coleg cyntaf yng Nghymru i gynnig hyfforddiant ar gyfer gradd Brifysgol. Tynnwyd y llun hwn yn 1905.

The Parade.

CARMARTHEN

79

The Parade, 'made by subscription' under the direction of Mayor John Williams during his term of office, 1782-83. The trees and fencing were added in 1800. This photograph, dating back to about 1907, was taken from the western end.

Y Parêd, 'a wnaed trwy danysgrifiad' dan arolygiaeth y Maer, John Williams, yn ystod ei dymor yn y swydd (1782-83). Ychwanegwyd y coed a'r ffens yn 1800. Tynnwyd y llun tua 1907, o'r pen gorllewinol.

The Parade, Carmarthen

80.
This photograph, taken from almost the same position as the last around 1916, shows that electricity had replaced gas for street lighting.

Dengys y llun hwn, a dynnwyd bron o'r un safle â'r llun blaenorol, y defnyddid trydan yn hytrach na nwy i oleuo'r strydoedd. Fe'i tynnwyd tua 1916.

The Parade, Carmarthen

81.
The Parade, eastern end, before 1914.
Y Parêd unwaith eto, o'r ochr ddwyreiniol cyn 1914.

Carmarthen, Towy Valley.

82.
A view from the eastern end of the Parade. '. . . as an attraction to strangers, public money could not be laid out with a fairer prospect of remuneration. The view of the vale from the end of the Parade is the finest in the immediate neighbourhood' (Spurrell). The photograph was taken before 1900.

Yr olygfa o ochr ddwyreiniol y Parêd. '. . . fel atyniad i ymwelwyr, ni ellid gwario arian cyhoeddus mewn ffordd a fyddai'n debygol o ddod â gwell elw. Yr olygfa o'r cwm o ben draw y Parêd yw'r orau yn yr ardal.' (Spurrell). Tynnwyd y llun cyn 1900.

VALE OF TOWY, CARMARTHEN

83.
This photograph, taken about 1906, from the same position as the last, indicates the progress made in the development of the railway.

Dengys y llun hwn, a dynnwyd tua 1906 o'r un man â'r llun blaenorol, ddatblygiad y rheilffordd.

84.

The Railway Station about 1912. The first official train arrived in Carmarthen on 17 September 1852 when the station was about one mile outside Carmarthen at Myrtle Hill. The present station was opened in 1902.

Dyma lun o'r Orsaf Reilffordd tua 1912. Cyrhaeddodd y trên swyddogol cyntaf Gaerfyrddin ar 17 Medi 1852, pan oedd yr orsaf wedi ei lleoli ryw filltir tu allan i'r dref yn Myrtle Hill. Agorwyd yr orsaf bresennol yn 1902.

Postcard kindly lent by Mr. Les Morgan. Benthycwyd y cerdyn post, yn garedig iawn, gan Mr. Les Morgan.

View from Railway Station, Carmarthen

85.
This photograph, taken from the railway station, dates back to about 1919.
Tynnwyd y llun hwn o'r orsaf reilffordd tua 1919.

86.
Little Bridge Street showing the old town wall on the right. The entrance to Waterloo Steps was by way of the third doorway on the left. This photograph was probably taken in the early 1930s.

Dyma Heol y Bont Fach; gwelir hen fur y dref ar y dde. Roedd mynedfa i Risiau Waterloo trwy'r trydydd drws ar y chwith. Mae'n debyg y tynnwyd y llun hwn rywbryd yn y 1930au cynnar.

87.
Little Bridge Street and Coracle Way. The photograph was taken in 1982.
Heol y Bont Fach a Ffordd y Cwrwg. Tynnwyd y llun yn 1982.

88.
Waterloo Steps which led from Little Bridge Street to the Quay in the early 1930s.

Grisiau Waterloo a arweiniai o Heol y Bont Fach i'r Cei yn y 1930au cynnar.

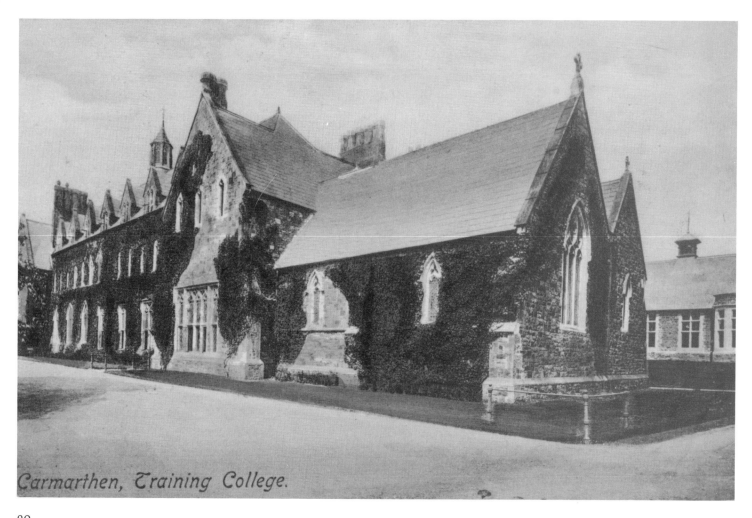

Carmarthen, Training College.

89.
The South Wales and Monmouthshire Training College, known as Trinity College, was opened on 24 October 1848, to train 'young men to become duly qualified teachers'. This photograph was taken about 1906.

Agorwyd Coleg Hyfforddi De Cymru a Mynwy, sef Coleg y Drindod, ar 24 Hydref 1848, er hyfforddi 'dynion ifainc i ddod yn athrawon trwyddedig'. Tynnwyd y llun tua 1906.

CMRN.129.F. TRINITY COLLEGE, CARMARTHEN.

90.
The college has been extended over the years and now trains men and women. This photograph was taken in the mid 1930s.

Ehangwyd y coleg dros y blynyddoedd, ac erbyn heddiw hyfforddir dynion a menywod yno. Tynnwyd y llun hwn ganol y 1930au.

91.

The Queen Elizabeth Grammar School moved from its original site in Priory Street in 1857 and amalgamated with Sir Thomas Powell's School 'in an inconvenient situation near Parc-y-Berllan to the east of the Parade' (Spurrell). The building still stands, but has been converted into residential quarters. This photograph was taken before 1910.

Yn 1857 symudwyd Ysgol Ramadeg y Frenhines Elizabeth o'i safle gwreiddiol yn Stryd y Priordy, i uno ag Ysgol Syr Thomas Powell 'mewn safle anghyfleus ger Parc-y-Berllan, i'r dwyrain o'r Parêd' (Spurrell). Mae'r adeilad yn dal ar ei draed, ond fe'i rhannwyd yn gartrefi bellach. Tynnwyd y llun cyn 1910.

92.

The school transferred to Richmond Terrace on 22 January 1884. The site, the gift of the Charity Commissioners, was known as 'Prisoners' Field', having been left in trust many years previously for the benefit of the families of debtors held in Carmarthen Gaol. The photograph was probably taken in the late 1930s.

Symudwyd yr ysgol i Heol Waun Dew ar 22 Ionawr 1884. Gelwid y safle, a oedd yn rhodd gan y Comisiynwyr Elusennol yn 'Cae y Carcharorion', oblegid roedd y safle hwn wedi ei adael flynyddoedd lawer ynghynt mewn ymddiriedolaeth i deuluoedd dyledwyr y dref a oedd yng Ngharchar Caerfyrddin. Mae'n debyg y tynnwyd y llun yn y 1930au diweddar.

93.

The Work House, Penlan Road, on 21 March 1906, the day after the fire which gutted the building. The fire started in the Matron's quarters when 'an old imbecile woman stirred the hard coal fire' (*Carmarthen Journal*). At this time 45 men, 33 women and 17 children were housed there; no one was injured and all were found temporary accommodation.

Wyrcws Heol Penlan ar 21 Mawrth 1906, ddiwrnod ar ôl i dân losgi'r adeilad. Dechreuodd y tân yn ystafelloedd y Metron pan 'brociodd hen wraig wallgof y tân glo caled' (*Carmarthen Journal*). Yn y cyfnod hwn trigai 45 o ddynion, 33 o fenywod a 17 o blant yno. Nid anafwyd yr un ohonynt, a daethpwyd o hyd i gartref dros dro i bob un o'r trigolion.

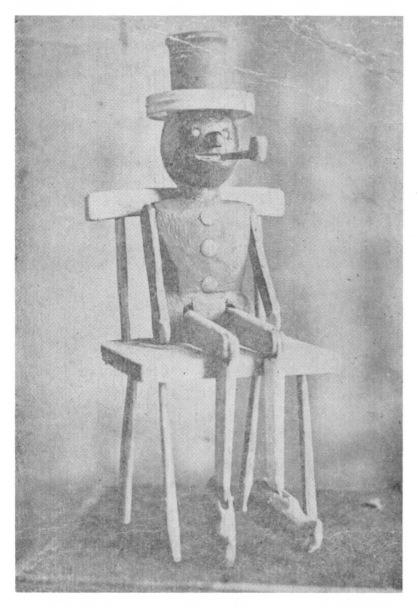

94.

Dolls, of the puppet type, were popular with young ladies in the early 1900s and these were made by a Mr. Edmund Davies at his home, Chemical House, which was situated on the Pensarn side of the old bridge. Mr. Davies was also responsible for the production of 'Black Oil for Rheumatism'.

Roedd doliau pyped fel y rhain yn boblogaidd gyda'r gwragedd ifainc yn negawd cyntaf yr ugeinfed ganrif; gwnaed y doliau hyn gan ŵr o'r enw Mr. Edmund Davies yn ei gartref yn 'Chemical House', ar ochr Pensarn i'r hen bont. Mr. Davies oedd yn gyfrifol am wneud 'Olew Du i'r Gwynegon' hefyd.

95.
St. Clears Road, Johnstown, taken in the early 1920s, when it was the trunk road to the west.
Heol San Clêr, Tref Ioan, rywbryd yn y 1920au cynnar, pan oedd yn briffordd i'r gorllewin.

96.
Monument Hill, leading from Johnstown to Carmarthen town, by way of the Picton Monument. The photograph was taken before 1910.

Dyma Fryn y Gofeb, yn arwain o Dref Ioan i Gaerfyrddin, heibio i Gofgolofn Picton. Tynnwyd y llun cyn 1910.